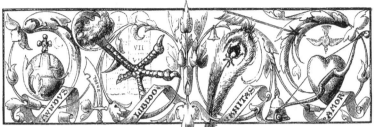

"QUANDO SE OLHA MUITO TEMPO PARA O ABISMO, O ABISMO OLHA PARA VOCÊ"

(Friedrich Nietzsche)

LEGATUS APRESENTA:

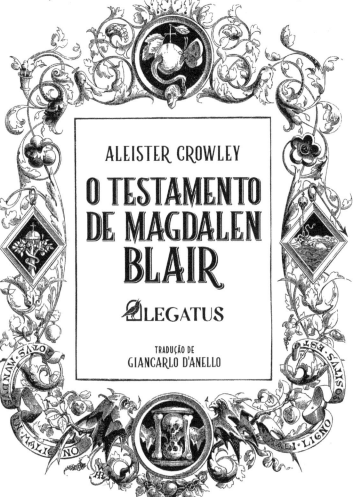

ALEISTER CROWLEY

O TESTAMENTO DE MAGDALEN BLAIR

LEGATUS

TRADUÇÃO DE
GIANCARLO D'ANELLO

I Edição: Maio 2020

© **2020 Legatus Editora**
Legatus LTD - Glasgow
ISBN 978-1-8380473-2-0

Tradução, Edição e Revisão:
Giancarlo D'Anello

Design e Diagramação:
Natalia Sttrazzeri

www.editoralegatus.com

Para minha mãe.

SUMÁRIO

O TESTAMENTO DE MAGDALEN BLAIR

PRIMEIRA PARTE

I

inda no meu terceiro ano letivo em Newham, eu já era a aluna preferida do professor Blair. Sucessivamente, ele passou a elogiar não poucas vezes a minha figura esbelta e o meu rosto pungente, com meus grandes e redondos olhos cinzentos e meus longos cílios pretos; mas minha principal atração era aquele meu dom singular. Poucos homens, e, eu acredito, nenhuma outra mulher, poderiam se equiparar a mim nesta que era uma das mais preciosas qualificações para os estudos científicos: a capacidade de notar as pequenas

diferenças. Mesmo que minha memória fosse muito escassa - tive grandes dificuldades para entrar em Cambridge - eu era capaz de ajustar um micrômetro melhor do que qualquer estudante ou professor, e de ler um vernônio com uma exatidão tal que nenhum deles poderia sequer sonhar. Além disso, eu tinha uma capacidade de cálculo inconsciente realmente surpreendente. Se eu tivesse que encontrar alguma solução, como por exemplo entre 70° e 80°, eu não precisaria olhar o termômetro. Automaticamente eu saberia que o mercúrio estaria próximo do limite, então teria deixado minha outra atividade de lado para poder ajustar o bico de Bunsen[1] sem pensar duas vezes.

E ainda mais surpreendente: se algum objeto fosse colocado na minha mesa sem o meu conhecimento e retirado logo depois, eu poderia, se me perguntassem no arco de alguns minutos, descrever o objeto em linhas gerais, distinguindo a forma da base e o grau de

---

1. *N.d.T - O bico de Bunsen é um instrumento usado em química, e leva este nome por causa de Robert Wilhelm Bunsen, um físico alemão do século 19.*

Aleister Crowley - O Testamento de Magdalen Blair

opacidade em relação ao calor e à luz. Através desses dados, eu seria capaz de descobrir rapidamente que tipo de objeto era.

Esta minha capacidade era repetidamente testada, e sempre com sucesso. A sua causa óbvia era a minha sensibilidade extrema para com os graus centígrados do calor.

Mesmo nessa época, eu era muito boa em ler pensamentos. As outras garotas me temiam muito por isso. Mas elas não precisavam, pois eu não tinha nem a ambição nem a energia para fazer uso integral dessas minhas capacidades. E não as tenho nem mesmo agora, quando eu trago para a humanidade esta mensagem de desgraça tão terrível que me faz sentir, na idade de 24 anos, como uma náufraga atrofiada, condenada e árida. Eu estou extremamente cansada, extremamente indiferente.

Tenho o coração de uma criança e o discernimento de Satã, uma letargia cuja causa desconheço; ainda assim sou grata – oh! Não pode ser a Deus! – de possuir a vontade de advertir a humanidade para não seguir o meu exemplo, para então, enfim, explodir um cartucho de dinamite na minha boca.

Aleister Crowley - O Testamento de Magdalen Blair

II

Durante o meu terceiro ano letivo em Newham, eu passava quatro horas por dia na casa do professor Blair. Todos os outros trabalhos eram negligenciados ou realizados de forma automática, se realizados.

Aconteceu tudo gradualmente, como o resultado de um acidente. O laboratório de química tinha duas salas, sendo que uma delas era pequena e podia ser escurecida. Em uma ocasião, esta sala estava sendo utilizada. Era a primeira semana de junho, e o tempo era agradável. A porta estava fechada. Dentro havia uma garota que fazia experimentos com o galvanômetro.

Eu estava absorvida em meu próprio trabalho. Quase instintivamente olhei para cima. "Rápido", eu disse, "Gladys vai desmaiar!". Todos os presentes olharam pra mim fixamente. Caminhei alguns passos em direção à porta quando a queda de um corpo pesado fez com que todos no laboratório ficassem histéricos.

Havia sido somente o calor e a claustrofobia, e Gladys não precisava ter vindo trabalhar naquele dia, mas ela recobrou a consciência com certa facilidade e então o demonstrador colocou ordem em meio ao caos que havia sido instalado. "Como você sabia?", era a pergunta de todos. Para mim era apenas evidente.

Ada Brown *(Athanasia contra mundum)*[2] resolveu a questão; Margareth Letchmere pensava que eu tivesse ouvido alguma coisa, talvez um grito inaudível aos outros, pois estávamos todos muito ocupados. Doris Leslie falava de uma "segunda visão", e Amy Gore de "compaixão". Todas as suposições, porém, giravam no relógio das hipóteses.

---

2. *N.d.T - Pronúncia errada de Atanásio, bispo de Alexandria do século IV, que afirmou: "Mesmo se devo estar contra o mundo, persistirei em minha luta".*

O professor Blair chegou na parte mais calorosa da discussão, acalmou a sala em dois minutos, ficou ciente do ocorrido em cinco minutos e depois me levou para almoçar com ele. "Acredito que seja esta tua termofilia humana", ele disse. "Você se importaria se fizéssemos alguns experimentos depois do jantar?". Sua tia, que cuidava de sua casa, protestou em vão e foi nomeada Grande Superintendente da Ordem dos meus Cinco Sentidos.

Minha audição foi testada primeiro e foi considerada suficientemente normal. Depois fui vendada e a tia, por excesso de zelo, se posicionou entre eu e o professor. Percebi que podia descrever até mesmo os pequenos movimentos que ele fazia enquanto estava entre eu e a janela da parte oeste, mas não mais quando ele se movia para outros pontos. E tudo isso em conformidade com a teoria da 'Termofilia', que havia sido contradita completamente em outras ocasiões. Resumindo: os resultados foram bastante extraordinários e intrigantes;

desperdiçamos duas horas preciosas com teorias fúteis. Durante o experimento, a tia, intimidada por uma carranca formidável, me convidou para passar as férias na Cornualha.

Durante esses meses, o professor e eu trabalhamos assiduamente para descobrir exatamente a natureza e os limites das minhas capacidades. O resultado, num certo sentido, foi nulo.

De certa forma, essas capacidades pareciam se dirigir para um 'novo lugar'. Eu achava que se manifestavam assim graças à minha percepção de diferenças microscópicas, mas então, logo depois, pareciam ter um tipo de sistema diferente. "Algo desce e alguma outra coisa sobe"[3], disse o professor Blair.

Aqueles que nunca fizeram experimentos científicos não poderiam conceber quão numerosas e insidiosas são as fontes de erro, até mesmo nos aspectos mais simples. Em um campo de pesquisa tão novo e obscuro, nenhum resultado pode ser verificado milhares de vezes.

---

3. *N.d.T - Referência a um dos princípios atribuídos a Hermes Trimegisto, que diz que "tudo tem fluxo e reflexo, tudo tem suas marés, tudo sobe e desce, o ritmo é a compensação."*

Em nosso campo não descobrimos nenhuma constante, apenas variáveis.

Embora tivéssemos em mãos centenas de fatos, cada um deles parecia ser capaz de derrubar todas as teorias aceitas dos meios de comunicação entre mentes. Nós não possuíamos nada, realmente nada que pudéssemos usar como base de uma nova teoria.

Obviamente é impossível fornecer um esboço do curso da nossa pesquisa. Vinte e oito cadernos escritos fazem referência a este primeiro período, e estão à disposição de meus executores testamentários.

les Catacombes

III

Em pleno dia, durante o meu terceiro ano letivo, meu pai adoeceu gravemente. Com pressa e fúria, fui de bicicleta até Peterborough, deixando de lado meu trabalho (meu pai é um sacristão da catedral de Peterborough). No terceiro dia, recebi um telegrama do professor Blair: "Você gostaria de ser minha esposa?". Até aquele momento não havia pensado em mim como mulher e nele como homem, mas naquele instante soube que o amava, e que o havia sempre amado. Era aquele tipo de circunstância que podia ser definida como "amor à primeira ausência". Meu pai se recuperou rapidamente: eu voltei para

Cambridge, nos casamos na semana de maio[4] e fomos imediatamente para a Suíça. Vou lhes poupar dos detalhes daquele período sagrado da minha vida, mas devo relatar um fato.

Estávamos sentados num jardim nos arredores do Lago Maggiore, depois de uma maravilhosa excursão que partiu de Chamounix, nas colinas de Géant, para Courmayeur, Aosta, para então chegar em Pallanza. Arthur se levantou, aparentemente impressionado com alguma ideia, e começou a caminhar pra cima e pra baixo no pátio. Eu fui imediatamente impelida a virar-me para me certificar de sua presença.

Isto poderia parecer algo de pouca importância para vocês que leem, a menos que não tenham uma imaginação fértil. Mas imaginem-se falando com um amigo em pleno dia e, de repente, ter que se inclinar para frente para tocá-lo.

"Arthur!", gritei, "Arthur!". A minha voz angustiada o fez correr em minha direção:

---

4. *N.d.T - May Week é o termo que indica o período do fim do ano acadêmico em Cambridge.*

"O que é Magdalen?" gritou, ansioso em cada palavra.

Fechei meus olhos. "Faça algum gesto!" eu disse. (Ele estava entre eu e o sol.)

Ele obedeceu, se perguntando o porquê.

"Voce está... você está..." eu balbuciava, "Não! Não sei o que você está fazendo, estou cega!"

Ele movia o braço para cima e para baixo. Inútil. Eu tinha me tornado totalmente insensível. Repetimos uma dúzia de experimentos naquela mesma noite. Todos inúteis.

Acabamos superando a nossa desilusão, e isso não obscureceu o nosso amor. A empatia entre nós cresceu ainda mais, assim como cresce em todos os homens e mulheres que se amam com todo o coração, que se amam com altruísmo.

IV

Voltamos para Cambridge em outubro e Arthur se debruçou vigorosamente sobre os trabalhos do ano novo. Então eu adoeci, e a esperança que tínhamos cultivado desapareceu. Ainda pior, o curso da doença revelou uma condição tal que se fazia necessário requerer uma série de operações que uma mulher mal poderia suportar. Foram destruídas não somente as esperanças passadas, mas também aquelas futuras.

Foi durante minha convalescência que sobreveio o acontecimento mais notável da minha vida.

Senti muita dor numa tarde e desejei ver o doutor. A enfermeira foi ao escritório telefonar para ele. "Enfermeira," eu disse quando ela voltou, "não minta para mim. Ele não foi para Royston; ele tem câncer e está perturbado demais para vir aqui."

"Mais alguma coisa?", disse a enfermeira. "É verdade que ele não pode vir, e eu estava para lhe contar que ele tinha ido para Royston, mas não ouvi nada a respeito de nenhum câncer."

Isto era verdade, só não tinha sido dito ainda a ela. Na manhã seguinte soubemos que a minha intuição era correta.

Assim que passei a me sentir melhor, recomeçamos os nossos experimentos. Minhas capacidades tinham retornado, e com força tripla.

Arthur explicou a minha 'intuição' da seguinte forma: "O doutor (na última vez que você o viu) não sabia conscientemente que tinha o câncer, mas subconscientemente a Natureza o avisou. Você leu o seu subconsciente, e isso se manifestou em sua consciência quando você leu na face da enfermeira que ele estava doente."

Isto, por mais que pareça improvável, pelo menos descarta teorias superficiais sobre 'telepatia'.

Daquele momento em diante, as minhas faculdades aumentaram constantemente. Eu conseguia ler os pensamentos do meu marido através de imperceptíveis movimentos de seu rosto com a mesma facilidade com que um surdo-mudo consegue, às vezes, ler o discurso de um homem à distância, graças ao movimento de seus lábios.

De forma gradual, enquanto trabalhávamos dia após dia, eu fui descobrindo uma percepção crescente nos detalhes. Não somente conseguia intuir as emoções, mas também era capaz de discernir se ele estava pensando em 3465822 ou 3456822. Durante o ano sucessivo à minha doença, fizemos 436 experimentos deste tipo, cada um desses testados durante diversas horas; ao total foram 9363, somente 122 parcialmente mal sucedidos. Sem exceções.

No ano seguinte os nossos experimentos se estenderam às leituras de seus sonhos. Também nisso tive sucesso. O meu procedimento consistia em deixar o quarto antes que ele acordasse, escrever o sonho que havia tido e esperá-lo na

mesa do café da manhã onde haveria de confrontar a sua rememoração com a minha.

Eram invariavelmente idênticos, com a única exceção que a minha recordação era sempre mais detalhada que a sua. Em todo caso, quase sempre, ele se via lembrando dos detalhes fornecidos por mim, porém este aspecto (acho) não tem nenhum valor científico. Mas de que importa tudo isso, quando eu penso no horror iminente?

V

O fato de que meus únicos meios para descobrir o pensamento de Arthur fossem utilizados somente através da observação de seus músculos se tornou mais do que incerto durante o terceiro ano de nosso matrimônio. Exercitávamos a 'telepatia' sem hesitações. Excluíamos o 'ler os músculos', o 'ouvido superior' e a 'termofilia humana' através de precauções detalhadas; mas, mesmo assim, eu ainda era capaz de ler sua mente. Num ano, durante nossa viagem de Páscoa no norte de Gales, nos separamos por uma semana de modo a nos reencontrarmos, no fim da mesma semana, em uma hora pré-estabelecida, ele no lado onde não soprava o vento e eu no lado ventoso de Tryfan; Arthur, lá embaixo, para abrir e ler um envelope sigiloso dado a ele por 'algum desconhecido encontrado em Pen-y-Pass durante a semana'. O experimento foi um sucesso total e eu repeti cada palavra do documento. A 'telepatia' seria invalidada somente se nos baseássemos na teoria segundo a qual eu teria encontrado anteriormente o 'desconhecido' e lido através dele o que ele escreveu em tais circunstâncias! Certamente a teoria da comunicação de uma mente para outra é mais crível!

Se eu soubesse onde tudo isto teria culminado, acredito que teria enlouquecido. Sou três vezes fortunada por poder avisar à humanidade sobre aquilo que espera a cada um dos seres humanos. O maior benfeitor de sua raça será aquele que vai descobrir um explosivo inacreditavelmente mais veloz e devastador que a dinamite. Se eu pudesse somente ter confiança em mim mesma para poder preparar a nitroglicerina em quantidades suficientes...

Aleister Crowley - O Testamento de Magdalen Blair

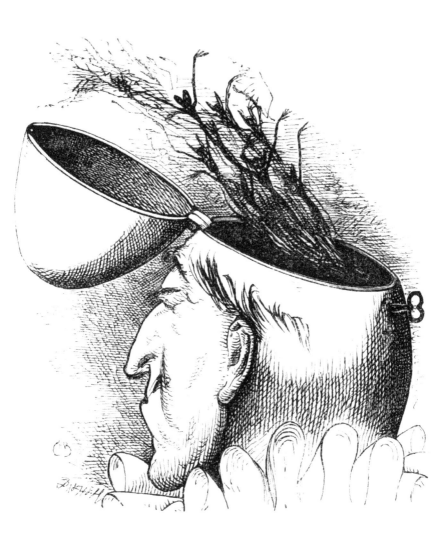

VI

Arthur se tornou apático e indiferente. Aquela perfeição de amor que foi o nosso matrimônio decaiu sem avisos, e com imperceptíveis gradações.

A minha tomada de consciência sobre o fato foi, porém, imediata. Aconteceu durante uma noite de verão: estávamos remando no Cam. Um dos alunos de Arthur, que também estava em uma canoa canadense, nos desafiou para uma competição. Na ponte de Magdalen estávamos um comprimento à frente quando, de repente, eu escutei o pensamento de meu marido. Foi a mais odiosa e horrenda risada que poderia ser concebida. Nenhum demônio poderia rir daquele modo. Eu soltei um grito e deixei cair o meu remo. Ambos os homens pensaram que eu estivesse indisposta. Perturbada pela minha pré-disposição suprassensorial, me certifiquei de que não fosse a risada de alguma outra pessoa que estivesse sobre a ponte. Eu não disse mais nada; Arthur parecia sério.

À noite, depois de ficar meio carrancudo por um tempo, ele me perguntou abruptamente, "Aquilo foi por causa de um pensamento meu?"

Pude somente murmurar que não sabia.

Eventualmente ele se lamentava da fadiga, e a sua apatia, que antes não parecia ser nada de mais pra mim, assumiu uma forma medonha. Algo que não fazia parte dele se manifestava em sua pessoa! Eu tinha consciência de que a indiferença, que antes parecia ser transitória, agora era constante e estava aumentando. Na época eu tinha vinte e três anos. Vocês se perguntarão do porquê eu escrever agora com tal austeridade. Às vezes acho que nunca tive pensamentos próprios, e sim apenas lido os pensamentos dos outros, ou talvez os da Natureza. Acho que fui mulher apenas durante aqueles primeiros meses de matrimônio.

VII

Durante os seis meses sucessivos não me aconteceu nada de extraordinário, com a exceção de seis ou sete sonhos reais e terríveis que tive. Arthur não teve relação com nada disso. E, mesmo assim, eu sabia que, não sei dizer como, aqueles eram os seus sonhos e não os meus, ou que estavam em seu subconsciente durante o meu estado de vigília, pois um desses episódios ocorreu numa tarde em que ele estava fora praticando tiro, e não em um sono profundo.

O último desses sonhos aconteceu no final de outubro. Ele estava participando de um seminário como sempre e eu estava letárgica em casa, após fazer um café da manhã muito pesado, que se seguiu depois de uma noite mal dormida. Subitamente, eu vi uma fotografia mental da sala onde estava ocorrendo o seminário, decisivamente maior do que aquela real, e que preenchia todo o espaço, e, no palco, inclinando-se em todas as direções, havia um enorme, mortífero e pálido demônio com uma face blasfema sobreposta àquela de Arthur. A alegria maligna dele era indescritível. Assim, pálido e inchado, os seus lábios eram flácidos e sem vida; a sua gigantesca barriga, dobra após dobra, derramava-se sobre o púlpito e, enquanto empurrava os estudantes para fora da sala, sorria indizivelmente. Então escorreram de sua boca essas palavras: "Senhoras e senhores, o curso acabou. Vocês podem ir para casa". Eu não poderia nem ao menos tentar expressar a maldade e a sujeira impressas nessas simples expressões. Depois, aumentando a voz em um berro estridente, gritou: "Branco do ovo! Branco do ovo! Branco do ovo!" repetidamente por vinte minutos.

O efeito sobre mim foi devastador. Parecia que eu havia tido uma visão do Inferno.

Quando chegou em casa Arthur me encontrou histérica, mas conseguiu me acalmar rapidamente. "Você sabe que", ele me disse durante o jantar, "acho que tenho tido uns calafrios dos diabos?"

Era a primeira vez, desde que o conheci, que eu o ouvia se lamentar de sua saúde. Em seis anos ele não havia tido mais que uma simples dor de cabeça.

Quando estávamos na cama, eu lhe contei sobre o meu 'sonho', e ele pareceu ficar estranhamente sombrio, como se compreendesse onde eu tinha falhado na inter-pretação. Na manhã seguinte ele acordou febril; fiz com que ele continuasse na cama e chamei o médico. Naquela mesma tarde, soube que Arthur estava gravemente doente, e já andava doente há meses. O doutor chamou de doença de Bright[5].

---

5. *N.d.T - Termo antigo que indicava o que hoje conhecemos como insuficiência renal crônica. Leva este nome em homenagem ao médico Richard Bright.*

VIII

Eu disse o "último dos sonhos". Durante o ano sucessivo, nós viajamos e tentamos diversas terapias. As minhas capacidades ainda eram excelentes, mas eu não tinha recebido mais nenhum horror subconsciente. Depois de um período de estabilização, ele foi piorando constantemente, ficando cada dia mais apático, mais indiferente e mais deprimido. Os nossos experimentos foram necessariamente deixados de lado. Somente uma questão o atiçava: aquela sobre a sua personalidade. Ele começou a se perguntar *quem era*. Mas não querendo dizer que estivesse frustrado, e sim deixando que a ques- tão do verdadeiro *Ego* tomasse conta de sua imaginação. Durante uma magnífica noite em Contrexéville, ele passou a se sentir muito melhor; os sintomas (provisoriamente) sumiram quase que totalmente graças à terapia de um médico habilidoso naquele Spa, o doutor Barbézieux, um homem gentil e introspectivo.

"Estou tentando", disse Arthur, "conhecer a mim mesmo. Seria eu apenas um animal e seria o mundo privo de significados? Seria eu uma alma num corpo? Ou seria eu, num sentido incrível, único e indivisível, uma centelha da infinita luz de Deus? Tenho a intenção de meditar sobre isso; talvez eu entre em algum estado de transe ininteligível a mim mesmo. Você seria capaz de interpretá-lo."

O experimento durou cerca de meia hora, quando ele se sentou sem fôlego devido ao cansaço.

"Eu não vi nem ouvi nada", eu disse. "Nem um único pensamento foi transmitido de você pra mim."

Mas, de repente, aquilo que passou pela sua mente deslizou para a minha. "É um abismo cego," eu lhe disse, "e lá está pendurado um abutre mais vasto do que o inteiro cosmos."

"Sim", ele disse, "é isso mesmo. Mas não é tudo. Não consegui ir além. Tentarei ainda."

Ele tentou. Novamente fui distanciada de seu pensamento, mesmo que a sua face estivesse se contorcendo tanto que naquele momento qualquer pessoa poderia alegar ser capaz de ler a sua mente.

"Eu estava procurando no lugar errado", disse ele improvisamente, mas com calma e sem se mover. "Aquilo que eu quero ver se encontra na base da espinha dorsal[6]."

Desta vez eu vi. Em um paraíso azul, estava enrolada uma serpente infinita de cor ouro e verde, com quatro olhos negros e vermelhos flamejantes que jorravam raios em todas as direções; entre suas dobras, estavam multidões de crianças que riam. E, assim que eu olhei, tudo isso desapareceu. Rastejantes rios de sangue se difundiam sobre o paraíso, de um sangue putrefato de inomináveis formas – cães sarnentos

---

6. *N.d.T - Referência à Kundalini, energia divina que os hindus acreditam estar localizada na base da espinha dorsal. A serpente é utilizada como imagem simbólica da Kundalini, pois era entendida como força potente que normalmente se encontra em repouso.*

com as entranhas atrás deles; criaturas metade elefante metade barata; coisas que não eram nada além de horríveis olhos injetados de sangue, circundados por tentáculos; mulheres cuja pele flutuava e borbulhava como enxofre em ebulição, criando nuvens que se condensavam em outras mil formas, ainda mais degeneradas do que aquilo que as havia gerado; estes eram alguns dos habitantes daqueles rios horrendos. A maior parte eram coisas impossíveis de nominar ou descrever.

Fui trazida de volta da visão graças ao respiro estentóreo e sufocado de Arthur, que foi tomado por uma convulsão. Disso ele nunca mais se recuperou totalmente. A vista fraca se tornou ainda mais fraca, a sua fala ficou mais lenta e empastada, as dores de cabeça sempre mais persistentes e agudas. O torpor tomou conta de suas atividades habituais e de sua esplêndida energia; os seus dias se tornaram uma perene letargia que o conduzia em direção ao coma. De vez em quando suas convulsões me alarmavam quanto a um perigo iminente.

Às vezes o seu respiro era pesado e sibilante como aquele de uma serpente raivosa; já perto do fim, adquiriu as características da respiração de Cheyne-Stokes[7], com durações cada vez maiores e mais graves.

No entanto, apesar de tudo isso, ele ainda era o mesmo; ainda não se podia vislumbrar o horror em curso e no que ele se tornaria.

"Enquanto eu estiver consciente de mim mesmo", me disse durante um de seus raros momentos de lucidez, "poderei comunicar a você o que estou conscientemente pensando; tão logo este ego consciente for absorvido, você captará o subconsciente, que eu temo – oh e como eu temo! – seja a parte mais extensa e mais verdadeira de mim. Você trouxe explicações desconhecidas do mundo do sono; você é a única mulher no mundo – talvez não haverá outra – que teve este tipo de oportunidade de poder estudar o fenômeno da morte".

Ele implorou para que eu aliviasse o meu próprio sofrimento me concentrando exclusivamente nos pensamentos que passassem pela sua mente quando ele não tivesse mais a

---

7. *N.d.T* - **7.** *N.d.T* - *Se trata de uma respiração patológica que alterna momentos de apneia e respiração profunda.*

capacidade de expressá-los, incluindo aqueles do seu subconsciente no momento exato em que o coma inibisse totalmente a sua consciência.

Me esforço para narrar este experimento. O prólogo tem sido longo; foi necessário expor os fatos para a humanidade de forma simples, para que as pessoas possam se suicidar da maneira correta. Imploro aos meus leitores para que não duvidem das minhas declarações; as notas de nossas experimentos, deixadas aos cuidados do maior pensador hoje vivo, o Professor von Buhle, vai clarear a verdade da minha relação, e a grande e terrível necessidade de uma ação drástica e imediata.

SEGUNDA PARTE

I

 fato físico impressionante da doença de meu marido foi a imensa prostração. As convulsões frequentes mostravam a força de seu corpo, mas mesmo assim havia tanta inércia! Ele ficava deitado o dia todo como um tronco, então, sem pré-avisos e causas aparentes, as convulsões começavam. A mente estável e científica de Arthur suportava bem; foi somente dois dias antes de sua morte que o delírio começou. Eu não estava com ele; esgotada,

mas mesmo assim incapaz de dormir, o doutor me recomendou fazer um longo passeio de automóvel. Com o ar fresco, acabei dormindo. Acordei ao ouvir uma voz desconhecida que me disse: "Agora começa a diversão". Ali não havia ninguém. Imediatamente segui a voz de meu marido, aquela voz que amava e conhecia há tanto tempo, e que me falou de forma clara, forte, ressonante e medida: "Faça isso direito, é muito importante. Estou sendo transferido para a força do subconsciente. Posso não ter mais a capacidade de falar com você. Mas ainda estou aqui. Não serei tocado por tudo aquilo que poderei sofrer; eu poderei sempre pensar; você poderá sempre ler a minha...". A voz interrompeu bruscamente, para então indagar: "Mas isto acabará algum dia?", como se alguém tivesse enunciado. E então irrompeu a risada. A risada que tinha ouvido na ponte de Magdalen era música celestial se comparada a esta! A face de Calvino, mesmo que regozijando ao ver Servetus no fogo[8], teria se tornado

---

8. *N.d.T - Se refere a Miguel Servet, teólogo e humanista renascentista que, depois de ser condenado como herético pelas autoridades francesas, foi queimado na fogueira. João Calvino foi um dos homens que o denunciaram.*

misericordiosa se a tivesse ouvido de tanto que exprimia a quintessência da danação.

Agora parecia que o pensamento de meu marido tinha trocado de lugar com outro. Era subterrâneo, interno, introspectivo. Disse a mim mesma: "Ele morreu!".

Então finalmente chegou a mim o pensamento de Arthur: "Seria melhor se tivesse me fingido de louco. Farei de conta que a matei com um machado. Diabos! Espero que ela não esteja escutando". Eu estava agora totalmente acordada, e disse ao motorista para ir imediatamente para casa. "Espero que ela morra em um acidente, espero que seja estraçalhada em mil pedaços, ó Deus! Escute as minhas preces! Faça com que um anarquista jogue uma bomba e reduza Magdalen em um milhão de pedaços! O cérebro, sobretudo. Em primeiro lugar o cérebro. Ó Deus! Esta é a minha primeira e última oração: desintegre Magdalen em um milhão de pedaços!".

O horror que este pensamento me causou era a minha convicção – então e agora - de que ele era expresso com perfeita sanidade e coerência. Por isso mesmo eu temia a ideia do que poderia significar tais palavras.

Na porta do quarto onde estava o doente encontrei o enfermeiro, que pediu para que eu não entrasse. Incontrolavelmente, perguntei: "Ele morreu?", e, não obstante Arthur estivesse estendido inconsciente na cama, eu recebi imediatamente o pensamento "Morto!", silenciosamente enunciado com um tom de zombaria, de horror, de cinismo e de desespero que eu nunca achei que fosse escutar na vida. Tinha alguma coisa ou alguém que estava sofrendo infinitamente, e também algo além disso que desfrutava muito daquele sofrimento. E aquela coisa era um véu entre eu e Arthur.

A respiração sibilante havia reiniciado. Parecia que Arthur tentava se expressar – agora o Arthur que eu conhecia. Ele articulou debilmente: "Aquela é a polícia? Façam-me sair da casa! A polícia está vindo me pegar. Eu matei Magdalen com um machado." Começaram a emergir os sintomas do delírio. "Eu matei Magdalen", murmurou por uma dúzia de vezes, e depois mudou para "Magdalen com", repetindo várias vezes com a voz lenta, baixa, empastada, repetitiva. Então enunciou improvisamente, com força e clareza, tentando se levantar da cama: "Eu fiz a Magdalen em pedaços com um machado! Milhões de pedaços!", e, depois, um momento de pausa: "Um milhão não é muito nesses tempos". Daquele momento em diante – dado que até então aquele tinha sido o discurso de um Arthur mentalmente são– ele recaiu novamente no delírio. "Um milhão de pedaços", "Um belo milhão", "Um milhão milhão milhão milhão milhão", e assim por diante; e então, improvisamente: "O cachorro de Fanny morreu".

Não sou capaz de explicar aos meus leitores a última frase; só posso dizer que isso significava tudo para mim. Comecei a chorar. Naquele momento, colhi o pensamento de Arthur: "Você deveria tomar notas ao invés de chorar". Enxuguei meus olhos, tomei coragem e comecei a escrever.

II

O doutor entrou no quarto naquele instante e me pediu para repousar. "Senhora Blair, você está só se debilitando", disse, "e sem necessidade, pois ele está inconsciente e não sofre mais." Pausa. "Meu Deus! Por que você me olha dessa maneira?", ele exclamou assustado. Eu acho que a minha face capturou alguma coisa daquele demônio, alguma coisa daquele riso, daquele ódio, daquela parte de desprezo e de puro desespero.

Retornei a mim mesma, já embaraçada pelo fato de saber que este mero conhecimento – um tal e mesquinho conhecimento – deveria encher qualquer um de detestável orgulho. Não é necessário se surpreender com a queda de Satanás! Comecei a compreender todas as velhas lendas, e muito mais.

Falei ao doutor Kershaw que eu estava cumprindo as últimas vontades de Arthur. Ele não disse mais nada, mas o vi fazendo um gesto ao enfermeiro, recomendando para que ele ficasse de olho em mim.

O enfermeiro então apontou o dedo em nossa direção. Arthur não podia falar, mas traçava círculos na cama com os dedos. O doutor (com a inteligência característica), tendo contado os círculos, assentiu e disse: "Sim, são quase sete horas. Hora do seu remédio, né?"

"Não", expliquei, "ele quer dizer que está no sétimo círculo do Inferno de Dante".

Naquele momento, Arthur entrou em um ciclo temporal de rumoroso delírio. Berros longos e selvagens saíam de sua garganta; no outro lado ele estava sendo mastigado incessantemente pela 'Coisa', e cada berro significava uma maior aproximação dos dentes do monstro. Expliquei isso ao doutor. "Não", disse, "ele está perfeitamente inconsciente".

"Bom", disse eu, "ele berrará outras oitenta vezes ainda".

O doutor Kershaw me olhou com curiosidade, mas começou a contar os berros de Arthur.

O meu cálculo era exato.

Ele se voltou para mim, "A senhora é uma mulher?"

"Não", disse, "sou a colega de meu marido."

"Acredito que isso seja uma sugestão. A senhora o hipnotizou?"

"Nunca, mas tenho a capacidade de ler os seus pensamentos."

"Sim, agora me lembro. Eu li um artigo notável no *Mind* dois anos atrás.

"Aquilo era apenas uma brincadeira de criança. Por gentileza, deixem-me fazer o meu trabalho".

Ele ainda deu algumas últimas instruções para o enfermeiro e depois foi embora.

À esta altura, o sofrimento de Arthur era indescritível. Ele era triturado em uma massa sem forma, que passava na língua da "Coisa"; cada fragmento de sangue mantinha a sua identidade e a dele.

As papilas gustativas eram serpentes, e cada uma delas afundava seus dentes venenosos sobre esta forragem.

E mesmo que os sentidos de Arthur estivessem totalmente ilesos, certamente no máximo da tensão, a sua consciência da dor parecia depender da abertura da boca da 'Coisa'. No fechar da mastigada, a inconsciência recaía sobre ele como um raio. Uma inconsciência misericordiosa? Oh, mas que golpe de mestre de crueldade! Repetidamente ele acordava do nada para uma nova agonia infernal, uma pura e estática agonia, até que compreendesse que isto continuaria indefinidamente por toda a sua vida; a alternância era apenas entre sístole e diástole, apenas entre o batimento do seu pulsar venenoso e o reflexo interior do seu batimento cardíaco. Eu me conscientizei deste seu intenso desejo de morte para que fosse colocado um fim às torturas.

O sangue circulava sempre mais lento e em modo mais doloroso; eu podia senti-lo implorando pelo fim.

Esta relutância em reagir foi improvisamente obscurecida e marcada pela dúvida. A esperança afundou para o seu nadir[9]; o medo cresceu como um dragão com asas de chumbo.

---

9. *N.d.T - Em astronomia e geografia, nadir é o ponto inferior da esfera celeste, sob a perspectiva de um observador na superfície do planeta. Aqui, Crowley utiliza o termo com conotações esotéricas.*

"Parece", pensou ele, "que, depois de tudo, a morte não acabará com isso!"

Não tenho capacidades para exprimir este conceito. Não é que o coração dele afogasse; não tinha relação com afogamento; sabia ser imortal, e isso era um reino de dor e terror inimagináveis, eclipsados e irradiados por nenhuma outra luz senão aquela pálida do ódio e da pestilência. Este pensamento tomou forma com estas palavras:

EU SOU O QUE SOU

Alguém poderia dizer que a blasfêmia se unia ao horror; na verdade esta era a essência mesma do horror. Era o afundar dos dentes em uma alma condenada.

Aleister Crowley - O Testamento de Magdalen Blair

III

A forma do demônio, que agora eu reco-
nhecia como sendo aquele que tinha aparecido
no meu sonho em Cambridge, parecia engolir
tudo. Diante daquela contração imediata que
tinha sacudido o morimbundo, uma erupção
cutânea convulsiva tomou conta do demônio.
Imediatamente toda a teoria se clareou pra
mim: este demônio era uma personificação
imaginária da doença. Agora eu conseguia en-
tender a demonologia, de Bodin e Weirus[10] até
os modernos, sem imperfeições. Mas ela era
imaginária ou real? Era real o suficiente para
aniquilar o conceito de 'sanidade'!

---

10. *N.d.T - Jean Bodin e Johann Weyer — Crowley escreveu
o sobrenome dele utilizando a grafia Weirus, talvez tentando
emular a forma latina do nome, que corretamente seria Wierus -
foram demonólogos célebres do século XVI.*

Naquele, momento reapareceu o velho Arthur. "Eu não sou o monstro! Eu sou Arthur Blair, de Fettes e Trinity. Eu passei por um paroxismo". O doente se moveu debilmente. Uma parte de seu cérebro foi libertada por alguns instantes do veneno e estava lutando amargamente contra o tempo.

"Eu vou morrer. A consolação da morte é a Religião.

Não há utilidade, em vida, na Religião.

Quantos ateus por mim nunca conhecidos lutam pela causa do próximo e das vidas humanas! Durante a vida, a Religião é apenas diversão e narcótico, tanto um engano quanto uma fraude. Eu cresci na Religião presbiteriana. Quão facilmente fui parar na Igreja Anglicana!

E agora, onde está Deus?

Onde está o cordeiro de Deus?

Onde está o Salvador?

Onde está o Consolador?

Por que não fui salvo daquele demônio?

Me comerá de novo? Para me absorver dentro de si? Oh, que destino inconcebivelmente detestável! É muito claro para mim – espero que você tenha entendido

Magdalen – que o demônio é composto por todos aqueles que morreram de nefrite. Deve existir um para cada tipo de doença. Agora acredito ter visto um uma vez num catarro pegajoso e sangrento.

Deixem-me rezar."

Seguiu então um apelo convulsivo ao Criador. Por mais que fosse sincero, era entendido apenas como uma irreverência impressa.

E então apareceu um horror gélido de intensa blasfêmia contra csse Deus - que não respondeu.

A isto seguiu a desolada e negra agonia do condenado – a absoluta certeza – "Deus não existe!", junto de um ímpeto de ira contra todos aqueles que lhe haviam assegurado o contrário; quase uma esperança maníaca que todos eles pudessem sofrer ainda mais do que ele, se isto fosse possível.

(Pobre Arthur! Ele ainda não tinha nem escovado o odor do aglomerado de Sofrimentos; ele estava prestes a beber o seu destilado mais puro até a última gota.)

"Não!" pensou ele, "talvez falte a mim a 'fé' deles. Talvez possa me convencer de Deus e de Cristo – talvez eu possa fazer de conta que acredito."

Tal pensamento significou render-se à própria honestidade, um abdicar da própria razão. Isso marcou o esforço final e inútil de sua vontade.

O demônio o pegou e o triturou, e novamente reiniciou o barulhento delírio.

As minhas carnes e ossos se rebelaram. Pega subitamente por um vômito mortal, eu corri do quarto e, por uma hora inteira, em modo resoluto, separei os meus sentidos de meu pensamento. Sempre havia me dado conta de que o mínimo traço de fumo proveniente do tabaco interferia bastante nas minhas faculdades. Desta vez fumei um cigarro depois do outro e obtive um excelente resultado. Não sabia nada do que estava acontecendo.

DEATH'S DANCE

IV

Arthur, atormentado pela gordura venenosa, ofegava naquele ventre enorme e arqueado que parecia a antecâmara do inferno, exprimido em seu chorume fervente. Eu sentia que ele tinha se desintegrado não só mecanicamente mas também quimicamente; que o seu ser havia sido dilatado gradualmente em cada parte sua, e que estas, por sua vez, eram absorvidas em alguma coisa nova e detestável, mas que (o pior aspecto de todos) Arthur estava de alguma forma imune a todas essas coisas, estava além de tudo isso, sem danos na consciência, a memória e a razão mais agudas do que nunca, nutridas continuamente por essas experiências horrendas. Eu tinha a impressão de que alguma condição aumentava muito o seu tormento; mesmo que ele não fosse, ao menos não empaticamente, essa massa torturada de consciência, ainda assim isso era ele. Existem pelo menos dois de nós! O nosso 'eu' que sente e o nosso 'eu' que sabe não são exatamente a mesma pessoa. Esta personalidade dupla é fortemente acentuada na morte.

Uma outra questão era que o senso do tempo, no qual geralmente os homens confiam – eu inclusive -, estava profundamente desordenado, senão totalmente destruído.

Nós todos julgamos um intervalo de tempo em relação aos nossos hábitos cotidianos ou em relação a qualquer outro critério do gênero. A certeza da imortalidade destrói de modo natural todos os valores construídos sob este ponto de vista. Se sou imortal, qual é a diferença entre um longo período e um breve? Mil anos e um dia são obviamente a mesma coisa se observados sob o ponto de vista de um 'para sempre'.

Em nós existe um relógio inconsciente, um relógio cuja corda é dada por cerca de 70 anos ou mais. Cinco minutos são longos se estamos esperando um ônibus, uma vida se esperamos um amante e nada se estamos felizes ou dormindo[11]. Se pensamos no cumprimento de uma pena carcerária, sete anos são um longo período, enquanto que o mesmo tempo é breve se visto sob uma perspectiva geológica.

Mas, dada a imortalidade, a própria idade do sistema solar em si não significa mais nada.

Esta convicção não tinha ainda se impregnado totalmente na consciência de Arthur; pairava sobre ele ainda somente como uma ameaça, enquanto que o intensificar daquela consciência, ou seja, a sua libertação do senso de tempo natural da vida, ia se confirmando gradualmente de tal modo que cada ação do

---

11. *N.d.A - Uma das grandes crueldades da natureza é a dilatação do tempo quando emoções dolorosas e deprimentes aparecem; o bom humor e os pensamentos agradáveis fazem o tempo voar. Resumindo uma vida inteira sob um ponto de vista imparcial, poderíamos afirmar - supondo que prazer e dor são igualmente divididos ao longo do tempo - que a dor é, em termos temporais, muito maior do que o prazer. Isto poderia ser revertido. Virgílio escreve: Forsitan haec olim meminisse juvabit, e há pelo menos um escritor moderno muito otimista que é ciente dessa condição pessimista. Mas esses novos fatos que apresento abrangem toda a questão, lançando uma flecha de peso infinito em direção a essa escala imperceptível de valores.*

demônio parecia ter uma duração prolongada, mesmo que os intervalos entre os solavancos daquele corpo esparramado na cama fossem muito curtos. Cada pontada de tortura ou suspense nascia, crescia até o ápice e morria para então renascer de novo através do que pareciam ser incontáveis eras.

Havia ainda mais nesse processo de assimilação do 'demônio'. O coma do moribundo era um fenômeno fora do Tempo. As condições da 'digestão' eram novas para Arthur; ele não tinha instrumentos para presumir, nenhum dado para calcular a distância e o fim desses acontecimentos.

É impossível fazer mais do que uma alusão a este processo, pois ele já tinha sido absorvido, assim como sua consciência se expandia no interior daquela do demônio. Ele se tornava uma coisa só com a luxúria e a corrupção. E, mesmo assim, era como se ele ainda sofresse por conta própria devido à destruição de suas melhores moléculas; e isso se confirmava numa abjeta humilhação daquela parte dele que era rejeitada.

Aleister Crowley - O Testamento de Magdalen Blair

Não tentarei descrever o processo final; é suficiente dizer que depois a consciência demoníaca desapareceu e ele foi reduzido a nada mais além do que o excremento do demônio, e, como excremento, atirado com desprezo naquele abismo negro e noturno que é a morte.

Me levantei com as bochechas pálidas. Gaguejei: "Ele morreu." O enfermeiro se debruçou sobre o corpo. "Sim," confirmou, "ele está morto". Naquele momento, pareceu que o Universo inteiro se reuniu para dar uma única e medonha risada de ódio e de horror, "Morto!"

V

Me sentei novamente. Sentia que precisava saber se estava tudo bem, se a morte tinha acabado com tudo. Pobre humanidade! A consciência de Arthur estava mais viva do que nunca. Era o medo negro de cair, um êxtase surdo de medo imutável. Não existiam ondas naquele mar de infâmias, nenhuma movimentação possível por nenhum pensamento naquelas águas malditas. Não havia esperança de nenhum tipo naquele abismo, nenhum pensamento que pudesse pará-lo. Aquela queda era tão inexorável que até o princípio de aceleração inexistia: era constante e plana como a queda de uma estrela. Não havia nem ao menos um sinal de cadência de tão veloz que devia ser, a julgar pelo peculiar horror do qual provinha, e ainda assim era infinitamente lenta, considerando a infinidade do abismo.

Tomei todas as providências para não ser perturbada pelas honras que os homens - oh, quanta tolice! - demonstram para com os mortos; me refugiei no cigarro.

Muito estranhamente foi aí então que comecei, pela primeira vez, a considerar a possibilidade de ajudá-lo.

Analisei a situação. Deveria se tratar de seu pensamento, ou então eu não seria capaz de lê-lo. Eu não tinha nenhuma razão para especular que qualquer outro tipo de pensamento pudesse me alcançar. Ele deveria estar vivo no sentido literal da palavra; era ele, e não qualquer outro, a presa daquele medo inefável. Era evidente que esse medo tinha uma base física na constituição de seu cérebro e de seu corpo. Todos os outros fenômenos tinham se manifestado para corresponder exatamente a uma condição física; era o reflexo de uma consciência na qual a limitação humana tinha desaparecido que correspondia com coisas que estavam acontecendo em seu corpo.

Talvez esta fosse uma interpretação errônea, mas era a sua interpretação, e era ela que estava causando um sofrimento muito além daquele infernal, com o qual os poetas jamais haviam pensado em sonhar.

Me envergonho de dizer que o meu primeiro pensamento foi direcionado para a Igreja Católica e suas missas feitas para o repouso dos mortos. Fui para a Catedral remoendo tudo aquilo que tinha sido dito - as superstições de centenas de tribos selvagens. No final das contas, não consegui encontrar diferenças entre os ritos bárbaros e aqueles da cristandade.

De qualquer maneira, eu não consegui o que queria. Os padres se recusaram a rezar pela alma de um herético.

Corri de volta para casa e para minha vigília. Nada tinha mudado, a não ser um aumento do medo, uma intensificação da solidão e uma ulterior absorção da vergonha. Eu não podia fazer nada a não ser esperar que, numa definitiva estagnação de todas as forças vitais, a morte finalmente ocorresse, e o inferno se diluísse com a aniquilação final.

Isto me levou a uma série de pensamentos que se concluíram com a minha decisão de acelerar o processo. Pensei em atirar em sua cabeça e fazer saltar fora seu cérebro, mas me lembrei que não tinha os meios para fazê-lo. Pensei em congelar o corpo, de inventar uma história para o enfermeiro, mas concluí que nenhum tipo de frio poderia estimu-lar em sua alma nada mais gélido do que aquele infinito abismo negro.

Pensei em contar ao doutor que ele tinha desejado oferecer o seu corpo para os cirurgiões, que temia ser sepultado vivo, qualquer coisa que pudesse induzi-lo a remover seu cérebro. Naquele momento, olhei-me no espelho e vi alguma coisa de indizível. Os meus cabelos estavam todos brancos; os olhos loucos e injetados de sangue.

Joguei-me no sofá do quarto de estudos em um estado de total desânimo e tormento, e comecei a fumar incessantemente. O alívio era tão imenso que o meu senso de lealdade e de dever tinham que lutar duramente para reconduzir-me à minha missão. O amálgama de horror, curiosidade e excitação tinha funcionado.

Joguei fora meu quinto cigarro e retornei à câmara mortuária.

VI

Antes que eu pudesse me sentar à mesa por alguns minutos, uma mudança explodiu com repentina surpresa. Em um ponto no vazio a escuridão se reunia e se concentrava, se transformando em uma chama maligna que jorrava sem rumo de lugar nenhum para lugar nenhum.

Isso foi acompanhado pelo fedor mais nocivo.

Desapareceu antes que eu pudesse percebê-lo totalmente. Assim como o raio precede o trovão, foi seguido por um clamor hediondo que só posso descrever como sendo o choro de uma máquina sofrendo.

Isso se repetiu constantemente por uma hora e cinco minutos, depois cessou da mesma forma repentina que tinha começado. Arthur ainda caía.

Após cinco horas outro paroxismo do mesmo tipo aconteceu, porém mais feroz e mais contínuo. Outro silêncio se seguiu, com repetidos períodos de medo, solidão e vergonha.

Por volta da meia-noite, apareceu um oceano cinzento de entranhas abaixo da alma em queda. Este oceano parecia ser ilimitado. Ele caiu de cabeça nisso, e o respingo o despertou para uma nova consciência das coisas.

Esse mar, embora infinitamente frio, fervia como tubérculos. Era um lodo mais ou menos homogêneo, cujo fedor está além de toda concepção humana (a linguagem humana é singularmente deficiente em palavras que descrevem o olfato e o paladar; sempre referimos

nossas sensações a coisas geralmente conhecidas)[12]; constantemente brotavam furúnculos
esverdeados com crateras vermelhas furiosas,
cujas bordas irregulares eram de um branco lí-
vido; e esses pus emitidos eram formados por
todas as coisas conhecidas pelo homem - cada
uma delas distorcida, degradada, blasfemada.

Coisas inocentes, coisas felizes, coisas sagradas! Cada uma delas indescritivelmente profa-
nada, repugnante, doentia! Durante a vigília do
dia seguinte, reconheci um gru-po. Eu vi a Itália. Primeiro a Itália do mapa, uma perna com
bota. Mas essa perna se metamorfoseou rapidamente através de inúmeras fases. Depois se
tornou a perna de todos os animais e aves, e em

---

12. *N.d.A - Esse é meu descontentamento geral, assim como o dos
estudantes pesquisadores de um lado e o dos escritores criativos do
outro. Só podemos expressar um novo conceito combinando duas ou
mais ideias, ou através do uso de metáforas, assim como qualquer
número só pode ser formado por dois outros. James Hinton possuía
uma ideia firme, simples e concisa sobre a "quarta dimensão do
espaço"; suas maiores dificuldades estavam em convencer outras
pessoas disso, mesmo quando estas eram matemáticos experientes.
Até mesmo um mestre do inglês, como o professor Huxley, era in-
compreendido a ponto de ser repetidamente atacado por afirmar pro-
posições que ele tinha negado com linguagem clara.*

todos esses casos, cada perna desses animais sofria de todas as doenças, desde a hanseníase e a elefantíase até a escrócula e a sífilis. Havia também a consciência de que isso era inalienável ao ser de Arthur e para sempre faria parte dele.

Então a própria Itália, em todos os seus detalhes, apodreceu. Eu pude ver eu mesma, assim como toda mulher que existiu antes de mim; cada uma delas com todas as doenças e torturas que a Natureza e o homem tramaram em seus cérebros infernais; todas terminaram com esta morte, uma morte como a de Arthur, cujas dores infinitas foram adicionadas à sua.

O mesmo aconteceu com o nosso filho que nunca nasceu. Todas as crianças de todas as nações, incrivelmente abortadas, deformadas, torturadas, despedaçadas e abusadas por cada abominação que a imaginação de um arquidiabo poderia inventar.

E isto aconteceu com todos os seus pensamentos.

Percebi que as mudanças putrefatas no cérebro do morto estavam pondo em movimento todas as lembranças dele e manchando-as com a própria tinta do inferno.

Cronometrei um pensamento: apesar dos inúmeros milhões de detalhes que eu via, cada um claro, vívido e prolongado, ele ocupava apenas três segundos do tempo terrestre. Eu considerei o conjunto incalculável de pensamentos em sua mente bem mobiliada; vi que milhares de anos não os esgotariam.

Mas, talvez, se o cérebro fosse destruído para além do reconhecimento de suas partes componentes…

Sempre assumimos casualmente que a consciência depende de um fluxo adequado de sangue nos vasos do cérebro; nunca paramos para pensar se os registros podem não ser animados de alguma outra maneira. E, no entanto, sabemos como o tumor cerebral gera alucinações. A consciência funciona estranhamente: a menor perturbação do suprimento de sangue no cérebro apaga-a como a chama de uma uma vela, ou a faz assumir formas monstruosas.

Aqui estava a verdade avassaladora: *"Na morte o homem vive novamente e vive para sempre."*. A fantasmagoria da vida que assola a mente de um homem que está se afogando pode sugerir algo do tipo para qualquer outro com uma imaginação compreensiva e fértil.

Pior ainda que os próprios pensamentos, era a aflição que a sua antecipação causava. Carbúnculos, furúnculos, úlceras, cânceres, não existem equivalentes para essas pústulas das entranhas do inferno, em cujas convulsões fervilhantes Arthur afundava cada vez mais.

A magnitude dessa experiência não deve ser apreendida pela mente humana como a conhecemos. Eu estava convencida de que um fim deveria chegar com a cremação do corpo. Fiquei infinitamente feliz por ele ter ordenado que isso fosse feito. Mas, para ele, o fim e o começo pareciam não ter significado. Por isso pareci ouvir o verdadeiro pensamento de Arthur. "Embora tudo isso seja eu, é apenas um acidente meu; eu estou além de tudo, imune, eterno."

Não se deve supor que isso, de alguma forma, minimizasse a intensidade do sofrimento. Ao contrário, a ampliava. Ser repugnante é menos do que estar ligado inexoravelmente à repugnância. Mergulhar na impureza é tornar-se amortecido pelo nojo. Mas se transformar nisso e ainda assim permanecer puro significa acrescentar um tormento em cada repulsa. Pense em Nossa Senhora presa no corpo de uma prostituta e obrigada a reconhecer "Isto sou eu", sem nunca perder a repulsa. Não apenas imerso no inferno, mas obrigado a participar de seus sacramentos; não apenas sumo sacerdote em sua ágape, mas também criador e manifestante de seu culto; um Cristo nauseado com o beijo de Judas, e ainda assim consciente de que a traição era ele mesmo.

VII

À medida que a putrefação do cérebro avançava, o rompimento das pústulas se sobrepunha ocasionalmente, resultando no au-mento monstruoso da confusão e do exagero da loucura, com toda a sua pungência, se comparado a um simples inferno. Alguém poderia pensar que qualquer tipo de confusão teria sido um alívio bem-vindo no meio de uma lucidez tão assustadora; mas não era assim que acontecia. A tortura era infundida com uma sensação esmagadora de alarme.

As imagens se revelavam ameaçadoras, desaparecendo apenas quando explodiam na--quela substância fecal que era, por assim dizer, o corpo principal do exército que compunha

Arthur. Quanto mais fundo ele caía, mais o fenômeno aumentava, em todos os sentidos. Agora eles eram uma selva na qual a obscuridade e o terror do todo eram ofuscados gradualmente pela aversão causada pelas partes.

A loucura dos vivos é algo abominável e assustador, que arrepia todo coração humano com horror, mas não é nada se comparada com a loucura dos mortos!

Uma outra complicação surgiu agora na destruição irrevogável e completa desse mecanismo compensador do cérebro, que é a base da percepção temporal. Odiosamente distorcidos e deformados, como se fossem inerentes à depravação mesma do cérebro, como uma geleia disforme e disparada, eram aniquilados vastos e insustentáveis tentáculos, cuja destruição os dividia em milhares de outras dobras ainda mais profundas. O próprio senso de consecução foi destruído; acontecimentos sequenciais apareciam como coisas sobrepostas ou paralelas; uma nova dimensão se desenrolava; uma nova destruição de toda limitação expôs um abismo diferente e insondável.

A todo o resto foi acrescentado o medo e a perplexidade que a agorafobia terrena obscurecia; e, ao mesmo tempo, a imensa imposição pesava sobre ele, pois do infinito não há escapatória.

Acrescente a isso a desesperança monótona da situação. Os fenômenos, mesmo que variados, ainda eram infinitamente reconhecidos como sendo essencialmente os mesmos. Todas as tarefas humanas são aliviadas pela certeza de que em algum momento terminarão. Até mesmo nossas alegrias seriam intoleráveis se estivéssemos convencidos de que não tivessem um fim; se assim fosse, causariam irritabilidade e repulsa através do cansaço e saciedade, para todo o sempre. Esse inumano, proto-diabólico inferno, era uma repetição cansativa, uma harpa na mesma discórdia odiosa, um incômodo contínuo cujos intervalos não davam alívio, e sim apenas um suspense causado pela antecipação de um novo terror.

Durante horas, que para ele eram eternidades, esse estágio continuou, e cada célula que mantinha o registro de sua memória era submetida àquelas convulsões degenerativas, que o despertavam para um novo estado de purulência bromídrica.

VIII

No momento em que a contaminação se tornou uma enorme massa química, os elementos gasosos da putrefação que se formavam no cérebro e se inculcavam eram representados na sua consciência pelos ha-bitantes das erupções cutâneas que se tornaram desformes e impessoais. Arthur ainda não havia entendido o abismo.

Rastejando, serpenteando, abraçando, o Universo o cobriu, violando-o com uma contaminação íntima e sem nome, envolvendo seu ser em um terror ainda mais sufocante.

De vez em quando Arthur afogava sua consciência em uma profundeza que eu não conseguia expressar; e, de fato, o primeiro e o último dos seus tormentos estão totalmente além da expressão humana.

Era uma aflição crescente, cada vez mais intensificada, a cada frasco de ira. A memória aumentava e a compreensão crescia; a imaginação também rompera todos os limites.

Quem pode dizer o que isso realmente significa? A mente humana não pode apreciar números para além de uma pontuação; pode, sim, lidar com números através do raciocínio, não apreendê-los por impressão direta. Se-ria necessária uma inteligência altamente treinada para que se pudesse distinguir au-tomaticamente entre quinze e dezesseis fósforos colocados em um prato. Na morte, essa limitação é totalmente eliminada. No conteúdo infinito do Universo, cada elemento é compreendido separadamente. O cérebro de Arthur havia adquirido a mesma faculdade que os teólogos atribuíam ao Criador; no entanto, ainda não haviam vestígios da implementação dessa habilidade. A impotência do homem perante as circunstâncias era nele aumentada indefinidamente, mas sem a perda dos detalhes ou do todo. Ele entendeu que os *Muitos* eram *Aquele,* sem que a concepção de qualquer um de ambos se perdesse ou se fundisse. Ele era Deus, mas um Deus irremediavelmente condenado: um ser infinito mas limitado pela natureza das coisas, e aquela natureza era compacta somente em sua própria detestabilidade.

Aleister Crowley - O Testamento de Magdalen Blair

IX

Tenho poucas dúvidas de que a cremação do corpo de meu marido interromperia um processo que, no homem normalmente enterrado, continuaria até que nenhum vestígio de substância orgânica permanecesse.

O primeiro beijo da fornalha despertou uma atividade tão violenta e tão vívida que todo o passado empalideceu em sua própria luz lúgubre.

A agonia inabalável do tormento não deve ser descrita; se houve alívio, foi apenas na exultação de sentir que isso estava no fim.

Não apenas o tempo, mas todas as expansões do tempo, todos os monstros do útero do tempo, devem ser aniquilados para que o ego possa esperar o seu próprio fim.

O ego é o 'verme que não morre', e a existência o 'fogo que não se apaga'. No entanto, nessa pira universal, neste abismo de lava líquida jorrada dos vulcões do infinito, nesse 'lago de fogo que é reservado ao diabo e seus anjos', não seria possível que alguém finalmente tocasse o fundo? Ah! Mas o tempo não mais existia, nem mesmo num simulacro qualquer!

A casca foi consumida; os gases do corpo, combinados e recombinados, inflamaram e se livraram da forma orgânica.

Onde estava Arthur?

Seu cérebro, sua individualidade e sua vida foram totalmente destruídos. Como elementos separados, sim: Arthur havia entrado na consciência universal. Eu ouvi esta expressão, ou melhor, esta é a minha tradução de um único pensamento cuja síntese é "Ai".

Substância é chamada de espírito ou matéria.

Espírito e matéria são um, indivisíveis, eternos, indestrutíveis.

Mudança infinita e eterna!

Dor infinita e eterna!

Nenhum absoluto: nenhuma verdade, nenhuma beleza, nenhuma ideia, nada além do turbilhão das formas inquietantes e implacáveis.

Fome eterna! Guerra eterna! Mudança e dor infinitas e incessantes.

Não há individualidade a não ser na ilusão. E a ilusão é mudança e dor, e sua destruição é mudança e dor, e sua nova segregação do infinito e eterno é mudança e dor; e a substância infinita e eterna é mudança e dor indizíveis.

Além do pensamento, que é mudança e dor, está o ser, que é mudança e dor.

Estas foram as últimas palavras inteligíveis; elas caducaram no gemido eterno:Ai! Ai! Ai! Ai! Ai! Ai! E assim continuaram em uma incessante monotonia, que ressoa sempre nos meus ouvidos se eu deixar o meu pensamento descer da altura de sua atividade para ouvir a voz dos meus sentidos.

Durante o sono estou parcialmente protegida, e sempre mantenho uma lâmpada constantemente acesa para poder queimar tabaco no quarto: mas, ainda com muita frequência, os meus sonhos palpitam com aquele constante Ai! Ai! Ai! Ai! Ai! Ai!

X

O estágio final é claramente inevitável, a menos que não se queira acreditar nas teorias budistas, as quais sou muito inclinada, que dizem que o Universo é precisamente confirmado em todos os seus detalhes pe-los fatos aqui narrados. Mas uma coisa é reconhecer uma doença, outra é descobrir seu remédio. Francamente, todo o meu ser revolta-se com os métodos apresentados pelos homens, e prefiro concordar com o destino final e fechar a questão o mais rápido possível. Minha maior preocupação é evitar as torturas preliminares, e estou convencida de que a explosão de um cartucho de dinamite na boca é o método mais eficiente para resolver isso. A única possibilidade que existe é aquela de destruir todas as mentes pensantes, todos os 'seres espirituais', e, especialmente, toda vida orgânica, assim o Universo deixaria de ser, já que (como o bispo Berkeley demonstrou), ele só pode existir em alguma mente pensante. E não há evidência (apesar de Berkeley) da existência de nenhuma consciência extra-humana. A matéria em si mesma pode pensar, num certo sentido, mas sua monotonia de aflição é menos terrível que sua abominação, que constrói coisas altas e sagradas apenas para depois arrastá-las, através da infâmia e do terror, para o antigo abismo.

Consequentemente, farei com que este registro seja amplamente distribuído. Os cadernos de meu trabalho com Arthur (Vols, I-CCXIV) serão editados pelo professor von Bühle, cuja mente maravilhosa talvez descubra alguma fuga do destino que ameaça a humanidade. Tudo está em ordem nesses cadernos; e agora sou livre para morrer, pois não aguento mais e, acima de tudo, temo o aparecimento de alguma doença e a possibilidade de morte natural ou acidental.

Nota

Fico feliz por ter a oportunidade de publicar, em um periódico tão lido pela profissão, o MS. da viúva do falecido professor Blair.

Sua mente, sem dúvidas, ficou desequilibrada pela tristeza da morte do marido; o médico que o atendeu em sua última doença ficou alarmado com a condição dela, e a observou. Ela tentou (infrutiferamente) comprar dinamite em várias lojas, mas, ao ir ao laboratório de seu falecido marido para tentar fabricar cloreto de nitrogênio, obviamente com a finalidade de suicídio, foi apreendida, certificada como louca e posta sob meus cuidados. O caso é incomum devido a vários aspectos:

(1) Nunca tomei conhecimento de nenhuma imprecisão sua em qualquer declaração de fato verificável.

(2) Ela pode, sem dúvidas, ler pensamentos de uma maneira surpreendente. Em particular,
ela é realmente útil para mim devido à sua capacidade de

prever ataques de insanidade aguda dos meus pacientes. Ela pode prever esses ataques num instante, algumas horas antes que eles ocorram. Em uma ocasião inicial, minha descrença em sua capacidade acabou fazendo com que um de meus subordinados fosse perigosamente ferido.

(3) Ela combina uma obsessão fixa de suicídio (na maneira extraordinária descrita por ela) com um intenso medo da morte. Ela fuma ininterruptamente, e sou obrigado a permitir que ela fumigue seu quarto à noite com a mesma droga.

(4) Ela tem apenas vinte e quatro anos, mas qualquer juiz competente a declararia como sendo uma mulher de sessenta.

(5) O professor von Bühle, a quem os cadernos foram enviados, me endereçou um telegrama longo e de caráter urgente, pedindo a sua libertação com a condição de que ela prometesse não cometer suicídio e fosse trabalhar com ele em Bonn. Devo tomar nota, no entanto, que os professores alemães, por mais eminentes que sejam, não têm nenhuma autoridade na

administração de um hospício privado na Inglaterra, e tenho certeza que os Comissários Manicomiais irão me apoiar na minha recusa em considerar a questão.

Portanto, observarei que este documento seja publicado com todas as reservas como lucubração de um muito peculiar, talvez único, tipo de insanidade.

V. Inglês, M.D.
V. INGLÊS, M.D.

O TESTAMENTO
DE MAGDALEN
BLAIR

Fim

POSFÁCIO
Por Giancarlo D'Anello

Poucos personagens do século XX con-seguiram transitar em tantos círculos diferentes como Aleister Crowley. Escritor, poeta, editor, mago, resenhista, alpinista, novelista, pintor, o garoto nascido em 1875 no pequeno vilarejo de Royal Leamington Spa, localizado na região central da Inglaterra, mais precisamente no condado de Warwickshire, influenciou e foi figura central para várias gerações de rockeiros, esoteristas e malucos de toda sorte. Incluindo o nosso maluco beleza Raul Seixas já afirmou que o disco "Novo Aeon", lançado em 1975, foi todo inspirado no "Livro da Lei" (Liber AL vel Legis), além de ter sido composto em parceria com Marcelo Motta, membro de grupos ocultistas, idealizador da Sociedade Novo Aeon e instrutor de Paulo Coelho na Ordo Templis Orientis, um outro grupo esotérico que também teve Aleister Crowley como membro em sua sede britânica. A própria "Sociedade Alternativa" foi inspirada num livreto chamado "Liber OZ", que Crowley escreveu em 1941.

Jimmy Page, o fundador e líder in-discutível do Led Zeppelin, também foi profundamente influenciado pelo garoto de Royal Leamington Spa, e utilizou a mesma frase crowleyana que Raulzito usou – "Do what thou wilt" (Faz o que tu queres) – para registrar o disco "Led Zeppelin III", lançado em 1970. Além de estudioso discreto do ideário telemita, Page também foi um apaixonado colecionador da memorabília do mago inglês, a ponto de comprar a Boleskine House, uma casa que pertenceu a Crowley.

Assim como Seixas e Page, poderíamos lembrar de centenas de outras referências da cultura popular a Crowley, como a aparição na capa do disco mais célebre dos Beatles – Sgt. Pepper's Lonely Hearts Club Band -, as menções na música "Quicksand", de David Bowie, no clássico "Mr. Crowley", de Ozzy Osbourne, no disco "Chemical Wedding", de Bruce Dickinson, entre tantas outras. Sua influência foi muito além dos seus escritos, pois sua figura enigmática, estranha e polêmica conseguiu alçar vôos maiores e mais perenes no imaginário cultural do ocidente do que suas próprias ideias. Nos últimos 70 anos, o mundo pareceu estar mais interessado no personagem do que no escritor. Muitos já ouviram falar dele, mas poucos se debruçaram sobre seus escritos; menos ainda são aqueles que procuraram conhecer suas obras ficcionais, que direta ou indiretamente davam pistas a respeito de suas crenças e de sua metodologia esotérica.

"O Testamento de Magdalen Blair" apareceu pela primeira vez na edição de 1913 da revista The Equinox. Esta revista, que foi funda-da por Crowley em 1903 e continuou sendo publicada até 1998, tratava de assuntos variados como ocultismo, poesia, biografias, contos, obras de arte e reflexões místicas. Ali ele lançou muito material de prosa e de poesia que era rejeitado categoricamente por outras editoras devido à sua má fama. Nos anos em que publicou nela, ele teve ampla liberdade de expressão, e pode expor um lado criativo que antes não era tão conhecido por seus pares e colegas.

Este conto, que é constituído pelo mais feroz horror cósmico, precedeu os escritos de Lovecraft, e participou da consolidação – nos subterrâneos da literatura – deste subgênero que, ao longo do século XX, seria consagrado por Robert Bloch, Clark Ashton Smith, Thomas Ligotti e, é claro, pelo mestre de Providence. Os ecos que influenciaram a sua escrita também podem ser rastreados nos textos de Arthur Machen, Algernon Blackwood e, principalmente, no conto "Os Fatos que Envolveram o Caso do Sr. Valdemar", de Edgar Allan Poe, que possui uma premissa muito semelhante.

Apesar do pessimismo existencial atroz que o conto expressa, "O Testamento de Magdalen Blair" possui um forte componente budista em sua tese. Seu tema foi, como expresso pelo próprio Crowley na ocasião da republicação da estória em 1929, sugerido por Charles Henry Allan Bennett, que foi grande divulgador das ideias budistas no ocidente e também parceiro de Crowley na Ordem Hermética da Aurora Dourada.

Independentemente, porém, das ideias sobre espiritualidade do leitor, o que se tem em mãos é uma estória horripilante, um clássico esquecido do horror que consegue expressar da forma mais cruel aquela que, segundo Lovecraft, era a emoção mais antiga e primitiva do homem. Um excrcício imaginativo extremo a respeito das realidades ocultas ao homem e da natureza da eternidade.

Apesar da má reputação que seu no-me tem ainda nos dias de hoje, recuperar o material ficcional de Aleister Crowley é importante para entendermos como se deu a construção do mito em torno do seu nome, e como pérolas perdidas da ficção especulativa podem nos ajudar a compreender os abismos   da imaginação que o próprio homem é capaz de construir.

Lightning Source UK Ltd.
Milton Keynes UK
UKHW012301220520
363742UK00009B/455